문학과지성 시인선 **163**

생명에서
물건으로

이승하 시집

문학과지성사

문학과지성사에서 펴낸 이승하의 시집

사랑의 탐구(1987; 개정판 1994)

문학과지성 시인선 163
생명에서 물건으로

초판 1쇄 발행 1995년 7월 25일
초판 2쇄 발행 1998년 9월 1일
재판 1쇄 발행 2022년 11월 3일

지 은 이 이승하
펴 낸 이 이광호
펴 낸 곳 ㈜문학과지성사
등록번호 제1993-000098호
주   소 04034 서울 마포구 잔다리로7길 18(서교동 377-20)
전   화 02)338-7224
팩   스 02)323-4180(편집) 02)338-7221(영업)
전자우편 moonji@moonji.com
홈페이지 www.moonji.com

ⓒ 이승하, 1995, 2022. Printed in Seoul, Korea

ISBN 978-89-320-0755-7 02810

문학과지성 시인선 163

생명에서 물건으로

이승하

자서

이 시집을
제가 살아 있는 동안에 죽어간
살아 있을 동안에 죽어갈
수많은 생명체에게 바칩니다.
그리고
육신은 아비규환의 지상에,
영혼은 알 수 없는 천상에 거하는
사랑하는 나의 누이
선영에게도.

1995년 5월
이승하

생명에서 물건으로

차례

I.
죽음, 주검

물의 법

이슬에 젖은 코스모스 하나의 목숨과
영혼의 상처 아물지 않는 나의 목숨은
무엇이 다른가 어느 쪽이 더 귀한가

멍든 저 하늘에서 빛나는 태양과
은하계 바깥에서 타오르는 뭇 항성은
언제쯤 식을 것인가 어느 쪽이 더 밝은가

내 손바닥 위에 놓인 작은 코스모스 꽃씨여
땅을 인연으로 하여 너를 꽃피우고 싶다
저 생긴 대로 흐르는 것이 물의 법인데

나는 코스모스의 시작을 모른다
나는 코스모스 꽃잎 하나를 모른다
내 목숨도 땅을 인연으로 하여 사라질 터인데.

겨울, 공원묘지에서

눈뜨면 보이는 것은 비석과 봉분
저 좁은 땅을 차지하기 위해
수십 년을 달려왔는가 그대들
눈발 뿌리는 날 흙을 뿌리고
몇 방울 눈물도 땅에 뿌린다

사람 묻고 나면 늘 허기지고 추워
따뜻한 밥 생각이 절로 나지만
내가 죽고 내 자식이 죽고
그 자식이 또 죽으면
밥 떠놓고 누가 절 올릴 것인가

일백 년 전에 이곳은 산이었을 터
일백 년이 지나면 이 공원묘지에
또 얼마나 많은 생애가 묻힐까
또 얼마나 많은 생명이 태어날까
산 모습은 또 얼마나 변할 것인가

저기 봉분 속에 들어가기 위해

그대들 지금 어디서

무엇을 행하고 있는가
나는 지금 여기서
무엇을 생각하고 있고.

다시 피는 꽃

친척 할머니를 뵈러 시골에 간
봄날
뒤뜰 진달래 나무 아래 서 계신
여든 앞두신 할머니
꽃잎 주워 들고 서 계시네
꽃잎 들여다보며 서 계시네

　내가 죽어도 이 꽃은 또 피어나겠제
　메칠 전에도 할망구 하나 죽었는데……
　지난 겨울 동무 하난
　이 꽃이 꼭 보고 싶다고
　명년 봄까진 살았음 좋겠다고 하디만……

교통사고로 안전사고로 암으로
세 자식 먼저 보내고
홀로 되신 할머니
파란 많은 생을 사신
할머니 하얀 머리 위에
연분홍 잎 떨어져도 가만히 계시네

꽃잎 들고 오래 서 계시네
꽃잎 보며 오래 서 계시네

시계를 찬 상제

또 한 인간의 죽음이 잉태한
아픈 시간의 인자들
산 자들, 무슨 죄 있어
망자를 울며 보내고
상복 불태우고

연기 사라진 하늘가로
그대 자식이 입었던 수의도
불태워져 연기로 사라질 터이니
사라질 것은 차례차례
이 땅에서 다 사라질 터이니
울지 말아라 이승의 피붙이들아
저 저승이 여기보다 못하진 않으리
그 어떤 끈보다 질기다는
사람의 명줄이야 반드시 끊기는 법

이 땅과 저 태양도 반드시 식는 법
그러니 너무 그렇게 울지 말아라
시간은 누구에게나 공평하니

지상에서 울리는 모든 시계 소리는

인간을 위한 진혼곡이니.

지는 꽃

비 내려 소용없던 눈물
1975년 4월의 마지막 주
양친을 가슴에 묻고
목련꽃 지는 날에 고향을 떠났네
열차 칸에서의 선잠
독서실에서의 새우잠
충혈된 눈으로 맞이하던
스무 개 계절의 새벽이 기억나네*
스무 개 계절의 바람은 나를 아네

내 누이 머리칼 반짝이게 하던
빛을 보네
산천에 내리는 무한량의 빛
그 빛이 일으켜 세운
사람의 도시들
사람의 마음을 일으켜 세운
꽃과 꿀벌의 화촉
풀과 벌레의 친화
항성과 행성의 교신

나와 뭇 생명도 교감했으나

사람들아
양친을 생매장한
나 죽어 묻히면
꽃 꺾어 들고 찾아오지 말기를
저기 저렇게 피어 있는 꽃들이
지는 순간이 오면
그 생명은 얼마나 초라한가
저 빛과 꽃의 대화를
서 있는 그 자리에서
그냥 듣고만 있기를.

* 필자는 1975년 고교 2개월 재학으로 중퇴, 5년간의 낭인 생활 끝에 대학생이 됨.

5월의 물가에 와
―첫사랑에게 바침

버들개지 날리는 감천*에 와
그대한테서 온 편지를 접네
그 많은 사연들
꿈결인 양 함께 걸었던
그 많은 거리들
내 기억의 가장 은밀한 곳에
이제는 잠재워 두려 하네
지니고 갈 아무것도 없이, 표표히
나 이제 먼 길
떠나야 될 것 같네

그대한테서 온 편지를
감천 물에 띄우네
한 장 한 장의 행간에
기쁨과 슬픔
열망과 절망을 실어
머나먼 시간의 바다
돌이킬 수 없는, 결코 머무르지 않는
빛의 물살 속으로 띄워 보내네

내 젊음의 온갖 음영까지

……내 사후에도 그대
나를 생각해줄까

이 물가에 누워서 쳐다본 별밭에
내 별만큼 많은 꿈들을 쏘아 올렸네
내가 죽고,
내 모르는 타인의 신비스런 시간이 밀려와도
이름 모를 별에 떨어진 꿈들은
싹을 틔우고 있으리
떠남으로써 완성되는 나와 그대의 생애
5월의 감천에 와 비로소 알았네.

* 감천甘川: 김천시 외곽을 흐르는 시내.

설록차 끓이는 밤에

혼자 잠들어야 하는
이 밤이 무슨 의미가 있으리
도저히 잠 이룰 수 없어
불을 켜고 창을 열면
이승의 캄캄한 하늘 너머에
떠오르는 한 사람의 얼굴

그 얼굴 그 목소리
그 체취 지상에 남아 있지 않아
더욱 추운 늦가을의 밤에
그대 체취 맡고 싶어
나는 차 한 잔 끓인다네

오래 끓이며 그대 생각
명동에서의 추억을
오래 식히며 그대 생각
을지로에서의 추억을
더듬네, 차 한 잔 음미하며
그대 가슴의 온기를 느끼지만

생전의 그대여

머리 마주하고 마시던

차 한 잔의 나날은 가고 없네

설록차 끓이는 이 밤에

그대 체취만 맡고 있다네.

죽어가는 사람의 애인을 위한 노래

이 세상 모든 죽어가는 사람을
죽는 순간까지 지켜보아야 하는 그의 애인이여
몇 년, 아니 단 몇 달이라도 함께할 수 있기를
그대는 밤새워 기도했으리

그 어떤 기도로도
아무리 많은 금전으로도
삶과 죽음의 거리를 좁힐 수 없을 때
그대 절망감은 하늘을 울리고
그대 자책감은 땅을 흔들어
이윽고 머나먼 곳의 별이 흐느끼리

볼을 비비고 손을 어루만지며
제발 죽지는 말아 달라고 아무리 외쳐도
나를 그만 잊어달라고 아무리 달래도
해는 빛나고 꽃은 또 피어나리
1천 년 전에도 흘러갔고
1백 년 후에도 흘러갈 시간

무수히 많은 달이 뜨고 지고
꽃 또한 계절 따라 피고 졌으나
그대만큼 처량하게 아름답고
그대만큼 처절하게 슬픈 사람은 없을 거네
인간으로 태어나 사랑했던 한 사람을
돌아올 수 없는 곳으로 보낼 사람이여

그대 또한 죽기 전에는 못 만날
모든 죽어가는 사람의 애인이여
사랑받는 것보다 더 고통스러운 것은 없고
사랑하는 것보다 더 잔인한 것은 없나니.

죽음까지 이르는 병

죽어가는 내 모습이
아름다울 수 있다면
좀 좋으랴
수술실에 들어가며
더 좋다는 병원으로 옮기며
재수술을 기다리며
아아 기적을 꿈꾸며

그래도 죽음에서 못 벗어난다면
죽음까지 내 것으로 만들 수 있기를

아픔이야 이미 일상화된 것
두려움에 떨며 새삼 하느님을 찾고
홀로 있을 때만 소리 죽여 울며
믿을 수 없는 죽음을 향하여 가면
나날이 비천해지는 나의 목숨
나날이 무너져가는
슬픈 육체가 아니라면
좀 좋으랴

죽는 날 어떻게 죽을지라도
죽어가는 내 모습이 아름다울 수 있다면.

죽음으로 이르는 병

그대 몸이 참 많이 아플 때
춘란이 시드는 아픔이
어찌 한 식물의 아픔이리
현대 의학이 마침내 포기한
그대 그 몸

그대 마음이 참 많이 괴로울 때
호접란이 피어난 고마움이
어찌 한 생명의 고마움이리
그 누구도 차마 꽃피울 수 없던
그대 그 마음

병원에서
식구 중 한 사람을 데리고
집으로 돌아온 날
베란다에는.

아름다운 죽음

아름다운 꽃이 있어 향기로운
밤의 중환자실
임종의 시간에 흐르는 침묵

그대 아름다운 날이 있어
그토록 아름다웠던가
그대 아름다운 일을 하여
그토록 아름다웠던가
그대 아름다운 여인 만나
그토록 아름다웠던가
그대 아름다운 자식 두어
그토록 아름다웠던가

그대의 조용한 죽음은
사랑하는 가족이 말없이 슬퍼하여 아름다우니
그대 아름다웠고
오래 아름다우리

나도 꼭 아름답기를.

죽음 연습

남의 피가
한 방울 두 방울
또다시 이모님의 몸 속으로
들어가고 있습니다
삶이란 이토록 피곤한
죽음의 연습입니까
죽음이란 이토록 잔인한
삶의 마지막 연습입니까

이모님
집에 계시어
꽃에 물 주시는
그 모습만으로도
정말 아름다우십니다
전화 걸어주시어
시 잘 되어가니?
그 목소리만으로도
정말 아름다우십니다
……눈물겹도록

나의 날은 이래봤자
얼마 남지 않았다고
자꾸 말씀하지 마십시오
불치가 아니라면
난치이겠지요
어렵지만 나을 수 있는
……나을 수는 없는?
아, 불가능을 꿈꾸는 것이
의술이 아니라면 뭇 생명의
의지이겠지요 이모님

밤이 다시 오면
지상 모든 생명체들은
어둠에 익숙해지지 않습니까
어둠에 익숙해지기까지
어둠에 익숙해지도록
……이 포근한.

튜 브

튜브가 너를 살아가게 한다

튜브로 먹는 밥

튜브로 누는 똥

병균 득실거리는 이 병실에서

튜브보다 성스럽고

튜브보다 아름답고

튜브보다 징그러운 것은 없다

튜브가 너를 숨쉬게 하니

너는 끈질기게 살아

생각하고 말을 한다

세계가 너를 만나게 하는 뇌세포

네가 세계를 버리게 하는 말초신경

우우— 네가 참지 못해 비명을 지르면

튜브는 마구 흔들거린다

네가 죽으면(너는 조만간

기필코 죽을 목숨이니)

튜브는 다른 사람에게 꽂혀

밥 먹고 똥 싸고

웃음소리

비명소리와 함께

흔들, 흔들거리고 있을 것이다.

안락사를 꿈꾸며

1

너의 울음을 견뎌내야 한다
깊은 밤에
나를 깨우지 않으려 이를 악물고
소리 죽여 우는 너의 통증을
나는 침묵으로 이겨내야 한다.

2

"아파서 죽겠어"나
"이젠 죽고 싶어" 혹은
"난 틀렸어"라는 말에 지쳐
시간이 어서 흘러가기를
흘러가 어떻게든 결말이 나기를
마음속으로 빌고 있다
짐짓 웃으며 때로는 슬픈 표정으로
너의 죽음이 가져다줄
평화로운 나날을 기다리고 있다

짐짓 웃으며 때로는 슬픈 표정으로
너의 평화로운 죽음을.

3

오랜 투병의 나날
죽음에 대한 네 끈질긴 도전이
어느 순간 수용으로 바뀌어
맑은 눈과 밝은 음성 보이면
나는 잠시 환히 웃지

그러다 느닷없이 공포로 바뀌어
살려달라고, 더 살고 싶다고 외칠 때
때로는 시트에 내지른 똥오줌
온갖 악담과 저주까지 받아내야 할 때
나를 사로잡는 살해에의 충동
벗어나고픈 탈출에의 욕망을
누구에게도 고백할 수는 없다

보시 중에선 육보시가 최고라고 말하며
함께 웃던 날도 있었건만
사람이 사람답게 사는 것의 소중함과
사람이 사람답게 죽는 것의 어려움을
한꺼번에 몸으로 가르쳐주며

너는 자꾸 죽어가는구나
내 마지막 순간의 모습도 보여주며.

내 죄 묻으러 가는 길
—조양래 형께

라면 박스에 죽은 아이의 시신을 넣고
묻으러 가는 길
산길을 밤에 오른다
달이 밝다 아이의 눈동자
공기가 참 맑다 아이의 숨결
라면 박스는 이렇게 가벼운데
내 발걸음 왜 이렇게 무거울까

아가야
네가 살아온 세상은 방 안
네가 바라본 세상은 창밖
너는 이제껏 아프기만 했지
말도 몇 마디 못 배우고
내처 울기만 했지 밤이나 낮이나
여름 내내 땀띠 겨울 내내 감기
이제는 다 끝났다 아가야

발작이 끝난 뒤
물만 주면서 닷새를 굶기는 동안

나도 물만 마셨다

맑은 눈물 함께 흘리며
네 엄마도 물만 마셨다
커다란 눈동자 눈물 가득 담고
우는 듯 웃는 듯 용서한다는 듯
알 수 없는 표정을 짓더니
너는 스르르 눈을 감았다

내 아이 묻으러 환한 산길을 간다.

세상의 한 어머니

아팠느냐 내 아들
많이 아팠느냐
목이 말랐느냐 내 아들
얼마나 목이 말랐느냐
누가 너의 이르디이른
이런 못 박혀 죽는 죽음이
패배가 아니라
영광스런 승리라 한다
그런 승리 싫다
값비싼 향료 대신
내가 바칠 수 있는 것은 눈물뿐
눈물밖에 바칠 것이 없음이
참말로 싫다
사랑할 수 있을 때
더 사랑치 못한
이 죄의 값으로
이렇게 황급히 장례를 치르는
내 슬픔을 안다면
너 더욱 슬퍼할 것이니

이 울음 그만 그쳐야 할 텐데
그쳐지지 않으니 내가
참말로 싫다
이젠 정말 안 아픈 거냐
목마르지 않은 거냐.

우리가 죽인 예수
―폭력으로 죽은 이 땅의 젊은 넋들을 위하여

밤마다 웅얼대는 달을 보며 다짐하리
나 지금 늙어가고 있다고
아침마다 외치는 해를 보며 다짐하리
내 육신 반드시 사라질 것이라고

하나 내 마음으로 죽이는 타인들
누군가로부터 위협받지 않아도
누군가로부터 고문당하지 않아도
내 마음대로 죽이는 무수한 타인들

내가 존재 가치를 부인한 벗들
두 손으로
내가 너희를 죽일 때마다
예수가 함께 울고

나의 존재 가치를 부정한 벗들
두 손으로
너희가 나를 죽일 때마다
예수가 함께 울어주리

울어주리…… 울어줄까
울면서 맞은 부활절의 아침에
다시금 예수 죽여
그대들 스스로 목숨 끊었는데.

베탕쿠르 신부의 죽음

콜롬비아 출신의 베탕쿠르 신부는 착취당하는 소작인들의 편에 서서 정의를, 인간의 존엄성을 부르짖었기 때문에 대지주들에게 붙잡혀 코와 귀, 혀를 잘리고 끝내는 질식사당해 우물 구덩이에 내던져졌다.
　　　　　　　　　　　　　—요하네스 브란첸, 『고통이라는 걸림돌』

더 이상 그대 시험받지 않아도 되겠네
죽었으니, 일단 끝났으니까
타인을 위해, 타인의 자유를 위해
더 이상 그대 피 흘리지 않아도 되겠네
눈물 흘리지 않아도
기도 드리지 않아도
타인은 눈물 흘릴 것이고
모여서 기도 드릴 것이고

더 이상 그대 위로하지 않아도 되겠네
그들은 서로 위로할 힘을 얻었을 테니
정의를 위해, 정의를 실천하기 위해
더 이상 그대 분노하지 않아도 되겠네

끝끝내 빛이 보이지 않아도
지구 종말의 순간이 와도
그들은 그대 덕에 위로할 힘,
서로 사랑할 힘을 얻었을 테니.

5월의 광장에 서서

21세기에 태어날 아이들은
알까 알게 될까
먼 옛날이야기를 듣듯이
5월의 학살극을 들을
이 땅의 아이들은 알고 있을까
아르헨티나—지구 반대편
'5월 광장 어머니회' 사무실에 걸린
그 많은 실종자들의 얼굴을
찾지 못한 이유를

21세기에 태어날 아이들아
알고 있거라
1973년 9월 11일
칠레 산티아고에서 울린 포성을
알고 있거라
민선 대통령 아옌데를 누가 죽였는지를
알고는 있어야 한다
1980년 5월 18일
대한민국의 광주에서 울린

총성의 의미도

누가 쏘라고 했는지를
왜 죽이라고 했는지를
알고 있거라
20세기에 태어난 아이들아
무엇 하나 밝혀내지 않고
거기에 공원을 만들지 않고
거기에 희생자의 이름을 새긴 탑조차 세우지 않고
1999년 12월 31일의 자정을 맞을 아이들아
거대한 무덤 위에 선
20세기에 태어난 아이들아.

저승에서 만난다?

혼이 있어 저승에서 만날 수 있다면
천국과 지옥이 분리되어 있지 않은 저승에서라면
세 사람의 혼이 만날 수도 있으리라
영원한 도망자 안두희와
각목을 든 권중희와
그리고 백범 김구 세 사람이

안은 권에게 이렇게 말하리라
나는 이 나라의 앞날을 생각했을 뿐이다
권은 안에게 이렇게 말하리라
제 명에 못 죽을 놈이 명대로 살고 왔구나
안은 김에게 이렇게 말하리라
당신은 그때 죽어 마땅한 존재였소
김은 안에게 이렇게 말하리라
숨어 살고 숨기고 살면 마음이 편하던가
김은 권에게 이렇게 말하리라
역사가 심판할 일을 갖고 너무 오래 속 끓이셨네
권은 김에게 이렇게 말하리라
역사가 심판하지 않아 제가 심판하려 했습니다

배후가 누구인지는 아직도 확실치 않다는데
음모의 실체가 무엇인지는 아직도 모른다는데
역사의 짐을 대신 지려고
각목을 든 권중희와
완벽하게 숨지 못해
각목에 맞은 안두희는
지금 살아 있으므로
매일 같은 꿈을 꿀 것이다.

위령제

그대들 저승에 갈 수 없으리
그대들 스스로
자신의 생을 배반했으니
하느님인들 용서해줄까
이승과 저승의 경계에서
십 년을 백 년을 떠돌고 있으리
그대들 잊혀질 이름들이여

자신의 몸에 시너를 끼얹고 불을 붙인
유인물을 뿌리고 옥상에서 뛰어내린
유서를 써놓고 극약을 마신
단식 투쟁 끝에 숨진
헤아릴 수 없는 학생들이여
농민들이여
노동자들이여
철거민들이여
도시 빈민들이여

4·19 나던 해에 이 땅에 태어나

열세 살에 시월유신 보도를 접하고
스물한 살에 광주항쟁 소문을 들었으나
내가 이날 이때껏 한 일은
아무것도 없다 오늘 향 하나 켜놓고
묵념으로 조상이나 할 따름
이름이나 되뇌어볼 따름

전태일, 김의선, 김종태, 박관현, 김태훈, 황정하, 김준
호, 박종만, 김태웅, 김남용, 장길복, 박태영, 이정기, 서형
석, 김명철, 장만봉, 지경오, 하택규, 송광영, 김세진, 이재
호, 이동수, 박혜정, 박선영, 이경환, 강상철, 표정두, 황보
영국, 진성일……

저승으로 가는 길은 험하리
그대 뼛가루 화장터 뒷산에 뿌려졌으니
맺힌 간장 풀기도 어려우리
그대 시신 야산에 묻어버렸으니
쌓인 시름 더 쌓여 봉분을 이루고
간절한 바람 더 간절하여 비문을 이루리

그대 살신하여 인仁을 이루려 했으니

이제는 그만 저승에 가라

비록 스스로

자신의 생을 배반했으나

하느님도 용서해주리

그대들 잊혀지고 있는 이름들이여.

아름다움에 대하여

'1943년 3월 13일에서 14일 밤 사이에, 크라코비에 유태인 거류지에서 호송되어온 2,000명의 유태인 중 1,492명의 '노동 무능력자들'(여자들, 어린이들, 노인들)이 비르케나우에 새로 설치된 죽음의 시설 첫 이용자가 되었다.'*

저에게 아름다운 꽃들을
가신 님의 넋들을
아름답다고 가르치신 스승이여
저는 제 자식에게
아름다운 것이 무엇이다라고
말할 수 없습니다

'지클론 B 6kg이 철조망이 쳐진 네 개의 원기둥 속으로 쏟아부어졌다. 그 원기둥들은 천장의 버팀기둥들 사이에 박힌 것으로, 지붕에서 튀어나온 짧은 굴뚝 모양을 하고 있으며, 외부와의 의사 소통을 위해서도 이용되었다.'

저에게 사랑의 허망함을

폭력의 허무함을
옳다고 가르치신 부모님이여
저는 제 자식에게
옳은 것이 무엇이다라고
말할 자격이 없습니다

'수용소장 호스는 독가스 주입에 의한 학살이 "인도주
의적" 사형 집행 방법이라고 생각했다. 그는 죽음이 전격
적으로 이루어지도록 네 명의 친위대로 하여금 1.5kg짜
리 지클론 B 한 상자를 네 개의 굴뚝에서 동시에 쏟아붓
도록 했다. 이런 원칙대로 가스를 주입할 경우, 5분 내로
가스실 내 전원이 죽는다.'

독자들이여 저에게
무엇을 위해 글을 쓰시냐고
묻지 말아주십시오
폭력이 미화되는
폭력이 폭력을 낳는
폭력을 보고 폭력을 배우는

20세기에 우리는 자식을 낳아
폭력으로 길들이고 있으니……

'그 후 환기와 가스 제거 기계가 15분 내지 20분 동안
가동됐다. 3~4분 후 공기가 정화되면 수감자 중 차출된
노무자들이 가스실에 들어간다. 시체들은 머리가 짧게
깎이고, 금니는 뽑혀나가고, 반지나 보석류를 다 제거하
면 화물 승강기에 실어 화장 가마로 운반됐다.'

  * 시에 인용된 네 개의 지문은 『신동아』 1994년 1월호에 실린 「유태
    인 대량학살과 나치 시체처리 기술」에서 가져온 것이다.

생명체에 관하여

1

모태 속에서 세상 소식 모른 채
나날이 자라난 도모꼬*는 생명체
하느님 보시기에 좋았을까요

죽어가는 아들의 머리맡에 앉아
새벽을 맞는 어머니의 눈은
얼마나 아름다운 것일까요

2

한때는 수억 마리 번식했으나
멸종하고 만 생명체들
곧 멸종할 생명체들
하느님 보시기에 좋을까요
우리가 살릴 수도 있는

― 빅토리아비단나비, 『문화일보』, 1994년 4월 4일자 5면.

낙엽이 지는 숲속에서
늦가을 들판에서
새끼를 낳는 그 생명체의 눈은
얼마나 아름다운 것이었을까요
우리가 살릴 수도 있었던

3

내가 태어나기 전에 멸종한 생명체가 무엇인지
내가 살아 있을 때 멸종한 생명체가 무엇인지
내가 죽은 후에 멸종할 생명체가 무엇인지
나는 모르네 내가 아는 것은
종말의 순간은 반드시 온다는 것
인간도 언젠가는 멸종하리라는 것
그 숱한 생명체들을 멸종시킨 죄로

지구는 도는데 나는 사라지고 없으리
지구는 도는데 나는 무덤 속에 누워 있으리
지구는 도는데 나는 흙먼지가 되어 날리고 있으리
언젠가는 반드시.

* 도모꼬: 사진작가 유진 스미스가 촬영한, 일본인 미나마타병 환자인
도모꼬와 그의 어머니를 찍은 「도모꼬를 목욕시키고 있는 어머니」
(1972)란 사진은 수은 중독으로 인한 미나마타병을 세계에 널리 알
리는 계기가 되었다.

생명에서 물건으로

종種이 사라지는 아픔은 없다
코뿔소가 사라지는 아픔은 없다
코끼리가 사라지는 아픔도 없다

나, 소비의 주체이니
돈을 벌어 물건을 살 뿐
나, 카드의 주인이니
카드를 꺼내 사인을 할 뿐
나, 승용차의 소유자이니
기름을 채워 운전을 할 뿐

때때로 자식을 데리고 대공원에 가면
코뿔소는 아직 코에 뿔이 달려 있고
코끼리는 아직도 코가 손이다
상아 있는 코끼리가 있다
코뿔 없는 코뿔소는 없다
종種은 아직도 엄청나게 많고

나는 서서히 살아간다

생명에서

나는 부지런히 사라진다

물건의 사용자로

물건으로.

알 수 없는 일에 대한 예언

그 남자들은
2세 탄생의 순간을 기다리며
밤을 새고 있을지 모른다
아들일까 딸일까 궁금해하며
정상아일까 기형아일까 걱정하며
산모도 건강하기를 기원하며

그 남자들은
총성이 들려오는 밤에
폭격 속 등화관제 하의 밤에
포연 속에서 악취 속에서
밤을 새워 기도할지 모른다
아이는 포연 속에서 첫 울음을 터뜨리고
산모는 악취 속에서 식은 죽을 먹을지
모른다…… 알 수 있다

먹을 수 없으리니
식은 죽 없으리니
엄청난 하혈 후 사산한 산모에게

수혈할 피도 없으리니

그저 울고 있어야만 하리니

1999년 12월 31일

2000년 12월 24일

그 밤에도 남자들은 총을 들고.

흔적도 없이

장작을 모아라
내 시체가 불고기처럼
지글지글 좋은 냄새를 풍기며
타들어가기 시작할지 모르니
기름 뿌리고서 불을 붙여라
나도 말이다, 한번쯤
세상에 빛을 비추어야 하지 않겠니
살아온 생이 때때로 어둠이었으니
스스로 빛이 되어 이 어둠을
몰아내야 하지 않겠니
몸의 기름이 장작 밑으로
계속 흘러내리면 떨어지는 팔
떨어지는 두 다리가 아프지 않은데
타는 불길이야 얼마나 아름다우랴
심장은 좀 더 오래 탈지 모른다
생애 내내 멈추지 않고 뛰어왔으니
억울할 수도 있겠지
억울함 억누를 수 없었을 때
양심의 가책으로 괴로워했을 때

더 열심히 뛰던 심장이었으니
좀 더 오래 탈지 모르지
좀 더 오래 불 밝힐지 모르지
그러니 어서
기름을 뿌리고 불을 붙여라
흔적도 없이, 아무런 흔적도
세상에 남기지 않고 싶으니
불을 붙여라 어서
어서

아버지
—아들에게

이사장 살해범은 '교수 장남'…… 재산 상속 몫에 불만을 품고…… 태연한…… 야누스와도 같은…… 한국판 지킬 박사와 하이드…… 패륜 교수…… 심한 종교 갈등…… 추리소설과 해부학 책을 보며…… 알리바이를 조작…… 치밀한…… 잔혹한…… 엄격한 가정 교육 부친에 주눅……

아들아, 내 소원 중 한 가지는
너를 내 옆에 세워두고
내 아버지의 임종을 지켜보는
내 모습을 너에게 보여주는 것이다

오이디푸스 콤플렉스가 아니더라도 말이다
살부의 충동으로 괴로워해보지 않은 자는
아버지 될 자격이 없다고
내 너에게 말해줄 수 있다

온갖 억압으로 주눅든
너도 나와 똑같은 괴로움으로

집을 뛰쳐나가 신문에 얼굴이 나고
극약을 먹고 한동안 실명해 있을 테냐?

장남 김성복 씨(41세, S대 경제학과 조교수)…… 김씨
의 부인은 미국 테네시주에 1남 1녀와 함께 살고 있으
며……

그렇더라도 아버지라면
훗날 아버지가 될 생각이라면
연민해야 한다 많은 이들이 그의 아버지
얼굴에 피어나는 검버섯과
바윗돌 같은 권위 의식까지를 연민했듯이

너 역시 그 언젠가
아들의 품에 안겨 숨거둘지 모를
한 목숨이 아니냐.

시체는 거짓말을 하지 않는다

삼라만상이 그대들로부터 등 돌렸다
찬란한 대낮에 의문의 장소에서
석연치 않은 이유로
그대들 이승과 결별을 서둘렀다

그대들의 죽음이 설명되지 않고 있다
변사체가 말하는 물적 정황은
거짓이 없다는데 거짓투성이다
목격자가 거짓말을 하고 있단 말인가

유가족이 거짓말을 하고 있단 말인가
자살할 만한 이유가 없다는데
왜 그들은 신의 섭리를 이탈했을까
부모의 가슴마다 글자 없는 비석을 세우고서

군대에서, 교도소에서, 경찰서에서
연고 없는 산과 바다에서
그대들은 죽어 분명히 시체가 되었는데
누구의 죽음도 설명되지 않고 있다.

Ⅱ.
생명, 생활

물건에서 생명이

복날 버스 안
노선은 길고 배차 수는 적고
"이 똥차 왜 안 가?"
무심코 한 손님의 말에
"똥이 차야 가죠."
─『脫 2』*

그룹은 나에게
고정관념을 깨뜨리라고
발상의 전환을 꾀하라고
요청한다
승진하고 싶으면
살아남고 싶으면

펜에서 만년필로 가는 데에
발상의 전환이
그럼, 발상의 전환으로
생활이 혁신되고
만년필에서 볼펜으로 가는 데에

발상의 전환이
그럼, 발상의 전환으로
패러다임이 바뀌고
볼펜에서 컴퓨터 키보드로 가는 데에
발상의 전환이
그럼, 발상의 전환으로
세계가 달라졌지

세계가 달라져
시詩가
컴퓨터 화면에 떠오른다
시를
팩시밀리로 보낸다
시도
음성 정보로 들을 수 있다

발상의 전환으로 세계가 달라져
컴퓨터가 말을 한다
나를 잘 사귀어야 한다고

물건에서 생명이 나온다고
암, 물건에서 생명이 나오지
물건…… 성난 만년필 같은……

나는 그룹에서 쫓겨나
'내'가 될 모양이다
의료보험카드를 반납하란다.

* 쌍용그룹 창업 55주년 기념 사보 『쌍용』,「脫 2: 신입 사원들이 쓴—
  脫. 고정관념 사례집」

음성군 꽃동네에서 온 편지

그대 손으로 씨 뿌리지 않았는데

꽃이 어찌 피어나리

그대 손으로 창 열지 않았는데

바람이 어찌 불어오리

바람이 어찌 아카시아 향기를

어두운 방에 충만하게 하리

그대 손으로 휠체어 밀어주지 않았는데

그대 손으로 밥 나누지 않았는데

어찌 봄 소식 전할 수 있으리

주려 죽어가는 사람이 아직도 있는데

집 없어 배회하는 사람이 아직도 많은데

꽃이 피었다고 어찌 기뻐할 수 있으리

봄이 왔다고 그대 내 곁을

어찌 그리 쉬 떠날 수 있으리.

70

상 처

산 개미가 죽은 개미를 물고
어디론가 가는 광경을
어린 시절 본 적이 있다
산 군인이 죽은 군인을 업고
비틀대며 가는 장면을
영화관에서 본 적이 있다

상처입은 자는 알 것이다
상처입은 타인한테 다가가
그 상처 닦아주고 싸매주고
그리고는 벌떡 일어나
상처입힌 자들을 향해
외치고 싶어지는 이유를

상한 개가 상한 개한테 다가가
상처 핥아주는 모습을
나는 오늘 개시장을 지나다가 보았다.

아직도 어두운 이 지상에서
―'라파엘 어린이집' 방문기

보지 못하면서 말 못 하는 보람이
말 못 하면서 못 움직이는 은정이
못 움직이면서 자폐증인 진영이
자폐증이면서 보지 못하는 성구

어두운 지상에 외돌토리로 버려져
다중의 장애로 괴로워하는 새싹들
라파엘 어린이집의 식사 시간입니다
밥 먹는 모습이 가지각색입니다

똥오줌을 못 가리는 보람이
밥맛이 없다고 입을 벌리지 않습니다
뇌성 소아마비를 앓았던 은정이
밥상 위로 자꾸만 고꾸라집니다

양말 하나도 못 신는 진영이
국이 맛없다고 맨밥만 먹습니다
종일 가만히 서 있기만 하는 성구
숟갈질을 못 해 국을 줄줄 흘립니다

조물주가 버리신 어린이들일까요?
주말에는 부모가 데려가기도 하지만
부모가 버린 어린이들도 있답니다
그럼 엄마 아빠란 말도 모를까요?

혼자서 마냥 미소짓는 보람이
무슨 일이 종일 저렇게 즐거울까요
구석에 앉아 고개만 회회 돌리는 성구
무슨 일이 종일 저렇게 못마땅할까요

아직도 어두운 이 지상에서
새싹들을 돌보는 사람들이 있습니다
엄마 아빠가 되고, 언니 오빠가 되려는
날개 없는 천사들의 모임이 있습니다

아직도 어두운 이 지상에서
어린이들이 낑낑거리며 기어갑니다
아직도 사랑하고픈 그 무엇을 찾아
온몸으로 기어가는 어린이들이 있습니다.

두 여성에게 바침

조락의 계절에
당신은 수확하리 생명을
밝은 새 생명을
내보내리 이 어두운 세상에다

병 없는 생명이 어디 있으리
병 나날이 깊어지면
서로에게 주는 상처도 깊어지더라니
병 나날이 깊어져도
분리되지 않는 당신의 영혼과 육체
그 육체 시든 채 오래 흔들리더라니

시간이 흐르고 흐르면
상처만 암세포처럼 퍼져나가리
내가 어머니의 곁을 떠났듯이
내가 아내의 곁을 떠났듯이
두 여성이여 왜 당신네는
나로부터 자유롭지 못한가
시간이 아무리 흘러가도

자궁을 가진 두 사람을
자궁으로 생명 키웠던 두 사람을
나는 베드로처럼 세 번 부인할 수도 있는데
왜 위대한 당신들은 한사코.

세상의 모든 어머니에게

자궁 적출 수술을 하신 날의 밤
통증으로 잠 못 이루는 당신 곁에 앉아
서른셋에 죽은 한 사내의 이적을 읽습니다

눈앞에서 자식이 죽어가는 모습을 본
세상의 모든 어머니들이여
그대 살아갈 생애의 무게는
이 우주의 무게와 맞먹을 것입니다

눈앞에서 어머니가 죽어가는 모습을 본
세상의 모든 자식들이여
그대 살아갈 생애의 무게는
이 우주 무게의 일부를 이룰 것입니다

34년 전 난세포 하나로 저를 잉태하고
오늘 자궁을 들어내신 나의 어머니
한쪽 가슴 이미 없으시니
그대 여성으로서의 몫은 다하신 것이지요

그날 1960년 4월 18일

한나절 꼬박 통증으로 눈물 흘리며

생명이라는 우주를 이 우주에 내보내신

당신을 다시 한번 불러봅니다

"어머니—"라고.

집과 문과 길
—성년식

이 세상 모든 길은
우리 사는 집을 향해 나 있었죠
아무리 험한 여행길일지라도
안개 속의 비탈길, 혹은
인적 없는 가시밭길일지라도
길의 끝은 우리집
문이 열려 있어 저를 인도했으니
그 어떤 낯선 곳에서도
두려움에 울지 않았었죠

어머니,
손수 고통의 문을 열어
세상에다 저를 내보내주셨으나
어머니 잠들어 계신 이 밤에
저는 스스로 문을 열고서
길을 바라봅니다
이제는 알 듯도 합니다
이 세상 모든 길은
자신의 집에서 시작되는 것을

제가 떠나지 않는 한
길은 길이 아니며
길이라도 모두 남의 길이죠
어느 먼 훗날 행려병자가 되어
전혀 낯선 길 위에서 죽을지라도
제 스스로 오늘 문 열었으니
저의 길을 걸어갈 것입니다
오늘부터 이 세상 모든 길은
비로소 길인 것입니다.

어린 생명에게

세상에 태어난 지 2년 7개월이 된
어린 딸과 함께 별을 봅니다
수십 수백 광년을 달려왔을 빛과
어린 생명의 눈빛이 만나는 순간입니다
수천 수만의 우연과 필연이 만나
우주의 지극히 작은 부분이 눈뜨고
우주의 지극히 먼 부분이 환호하는 순간입니다

저, 저게 뭐야? 별님이란다
산 위에 올라가 발돋움하면 잡힐 것 같은
별님은 아빠가 죽는 날까지 걸어가도
닿을 수 없는 먼 곳에 있단다
어린 생명은 알겠다는 듯 고개를 끄덕이는데
시간은 저 유성처럼 계속 흐를 것입니다

어린 별이 자라 초신성으로 폭발하고
젊은 별이 식어 백색왜성으로 숨거두어
생명의 위대함과 고결함을 들려줄 것입니다
딸과 함께 바라보는 저 많은 별을

이 어두운 지상의 누군가가 지금
바라보고 있을 것임을 믿습니다.

생명법
—아들에게

살아 있는 한 살려고 애쓰는 것이다
살아 있는 한 생명을 이어가기 위해
씨 뿌리고 싶어하는 것이다
저 밭에 뿌려진 씨앗이
싹 돋고 싶어서 돋아나겠느냐
가르쳐주지 않아도
배우지 않아도
때가 되면 싹이 돋고
때가 되면 잎이 지는
저 많은 생명체들의
생존에의 의지를 보려무나
아들아
내가 너에게 물려줄 것이라고는
생명 이외에는 한 가지도 없다

나라고 내 조상의 생명법을
다 알 수는 없다
내 살아 있으니 누군가 그때
살아 숨쉬었을 것이다

목마를 때 물을 찾고
바람 찰 때 고개 수그리는
저 많은 생명체들의
향일에의 의지를 보려무나
아들아
하늘 아래 이유 없이 태어난 것은
아무것도 없다
저절로 저절로 자라나는 듯하지만
태양의 도움 없이 자라나는 것은
단 한 가지도 없다

살고 싶어 살아가는 것이다
한시라도 더 머물고 싶은
이 땅이 배신한 하늘이
점점 어두워지고 있다 캄캄한
하늘의 저주가 지상에 미쳐
숨쉴 공기와 마실 물이 사라지고 있으니
태양을 보며 외쳐라 살고 싶다고
살아 있고 싶다고 외쳐라

태양이 너를 돌봐줄 것이니
운행하는 성좌가 너를 인도할 것이니

아들아
나는 하늘을 쳐다보지 않고
별의 질서를 헤아리지 않고
죽음 가까이에 다가가서야 비로소
생명의 외경을 깨달았다
나는 근심하며 죽어갈 것이다.

스티븐 호킹과 집의 아이

"아, 아빠 저 저 사람 왜— 저……어래요?"
스티븐 호킹이 우리나라에 온 날
텔레비전 앞에서 어린 딸이 묻는다
휠체어에 앉아(엎혀?) 고개를 뒤틀고서
컴퓨터의 도움으로 대화하는(교신하는?)
한 과학자의 병에 대해 설명해준다
마비가 전신으로 퍼져 죽고 만
야구선수 루 게릭이 앓았던 병을

"아, 아빠 브 블랙 호—올이 뭐, 뭐예요?"
다섯 살 어린 너에게 어떻게
거대한 별의 마지막 형태를 설명할 수 있을까
주위의 모든 물체를 끌어당기고
빛까지 흡수한다는 존재를
흡수할 뿐 아니라 입자와 복사파를
방출한다는 블랙홀의 정체를

"아, 아빠 벼 벼 별을 보여—주세요."
아이를 안고 집 앞 공터에 나가면

존재하는 별들이 반짝이고 있다

달려오고 있다 초당 30만 km의 속도로

달려가고 있다 더 먼 우주

더 먼 시간을 향해 팽창하고 있다

그러니 괴로워도 괴로워하지 말고

슬퍼도 슬퍼하지 말아라

네가 한참 더 어렸을 때 앓았던

뇌성마비라는 병이(정신만 성장케 하는 병?)

네 몸을 괴롭히고 마음을 슬프게 해도

너도 아빠도 우리 모든 인간도

존재하는 데는 다 이유가 있지 않겠니?

저 모든 별이 존재하는 데는

다 이유가 있듯이

스티븐 호킹이 그 몸으로 이 우주의

생성과 종말의 신비를 밝혀내려 애쓰고 있듯이.

생물과 사람의 생명

수술실 밖에서 인부들이
겨울을 날 나무들에게
가마니 옷을 입혀주고 있다
봄이 오면 나무들 움트고
꽃 피어날 것이니, 자거라
긴 겨울에는 자는 법이란다

시퍼렇게 살아 있는 하늘에는
새 십여 마리
자신의 의지로 남으로 날고 있다
봄이 오면 저 새들 돌아오고
새들 새끼 칠 것이니, 가거라
긴 겨울에는 떠나 있는 법이란다

생후 2개월 된 집의 아기
응급실 침대에다 눕히고
옷을 벗겼다
메스가 다시 벗길 살, 숨
할딱거리는 생명체

환자복을 입히니 맞지 않아
허수아비 같구나 옷 속에서 노는 손발

이제 잠시 후면 아기는
전신 마취될 것이다
내 새끼의 인생에
명년 봄이 오지 않을지 모르지만
그 봄은 너의 것이니, 깨어나기를
긴 겨울에도 사람은 잠자지 않는 법이니.

슈메이커−레비 혜성이 죽던 날

내 눈으로 볼 수 있는 별의 수는
유한이다
내 머리로 셀 수 있는 별의 수는
유한이다
고로 나 유한하리라

무진장하지 않은
저 별이 달리고 있는
무한정하지 않은
저 우주 공간의 넓이와
대폭발 이후의 나이를
셈할 수 없으므로
나 반드시 유한하리라

유한하지 않은 것이 무엇이랴
끝 모를 우주의 넓이도
시작 모를 우주의 나이도
유한하기에 별을 본다
오래 보고 있으면 마음 가득

차오르는 희열… 하하,

나 살아 있기에 지금

너희들도 살아 있는 것이다

아텐군♯ 소행성, 아폴로군 소행성, 아모르군 소행성*

그리고 지구를 스쳐 지나가는

크고 작은 혜성들아

나 지금 살아 있으니

너희들도 죽지 말아라

너희는 나를 만나기 위해

얼마나 많은 시간을 기다렸으며

얼마나 먼 길을 달려온 것이냐

나 유한하고

너희 목숨 또한 유한한 것을 알지만

살아 있으니 볼 수 있고

살아 있으니 만날 수 있고

살아 있으니 충돌할 수 있고……

뜨겁게, 아주 뜨겁게 말야.

* 지구와 충돌할 가능성이 있는 소행성으로는 3개의 아텐군 소행성, 23개의 아폴로군 소행성, 10개의 아모르군 소행성이 있다고 한다. 이 중 아텐군은 1억 년에 1회 정도, 아폴로군은 10억 년에 3회 정도, 아모르군은 10억 년에 1회 정도 지구와 충돌할 확률이 있으므로 걱정할 필요가 없겠지만 1908년 시베리아 퉁구스카 지역에 떨어진 소행성은 서울 크기의 면적에 있는 모든 나무를 쓰러뜨렸다고 하니 또 다른 소행성·혜성의 지구 방문은 지구 종말의 순간이 오게 할지도 모른다.

가롯 유다를 위한 변호

유다,
그대가 스승을 배신하기까지의 날들을
그대는 스승과 함께했으리라
그이가 만든 빵과 포도주를 먹고
잔디밭에서 바위 위에서 구름을 보며
스승의 얼굴을 보며 그 사람의 아들에게서
영원한 진리와 생명의 말씀도 들었으리라

유다,
내 다 안다네
안다고 감히 말할 수 있다네
그대가 배신을 결심하기까지
그 의심의 긴 시간과
목을 매고 죽을 결심을 하기까지
그 고뇌의 긴 시간
의심과 고뇌의 잔인한 깊이를

누군가의 생명을 앗아야겠다는 결심과
나의 생명을 버려야겠다는 결심 사이에는

가파른 희망과

위장이 다 쓰린 절망이 뒤섞여 있고

신의 뜻과 인간의 뜻이 맞서 있으리라

신의 기억과 인간의 망각이 뒤섞이고

때로는 인간의 불신과 신의 섭리가 맞서고

내 감히 말할 수 있다네

부모를 배신해본 자는

부모의 피고름을 핥을 수 있으리라고

신을 배신해본 자는

맞지 않은 왼쪽 뺨을 내밀 수 있으리라고

아아 스승을 배신해본 자는

원수까지도 사랑할 수 있으리라고

유다: "랍비여, 내이니까?"

예수: "네가 말하였도다." (마태복음 26:25)

예수: "그 사람(유다)은 차라리 나지 아니하였더면 좋을 뻔하였느니라." (마가복음 14:21)

예수: "내가 진실로 진실로 너희에게 이르노니 너희

중 하나가 나를 팔리라." (요한복음 13:21)
버림받은 자식이라는 소외감에서
내쳐 자유로울 수 없었을 유다

그대의 배신으로
나사렛 예수, 참 외로웠던 숫총각
누군가의 가슴에 빛으로 남게 되었는데
왜 우리는
그대만을 손가락질해왔던 것일까
그이를 빛이 되게 한
한 사람의 역할은 왜 외면해왔던 것일까.

병상 일기

1

내 다시는 저 빛을
못 볼 수도 있으리라
햇빛을 받은 그대 얼굴
두 눈동자에 맺힌 눈물 방울
24시간 후면 못 볼 수도 있으리라.

2

은밀히, 치명타를 입히려
병은 언제나 무장한 적군처럼
습격해오는군
그럴 때면 육체는
타인의 것이 되지
옷을 다 벗고 살을 열면
흘러내릴 피
내 살을 길게 찢을
메스는 지금 어디에 있을까.

3

모든 검사가 끝났다
살아난다면 다시
그대에게 고통 주지 않을까
살 수 있다면 다시
그대 고통 외면하지 않을까
모든 시험은 끝났는데.

4

창밖은 신록이네
노을처럼 다가오는 수술의 시간
이 병실에서 내 명료한 정신은
살아온 지난날을 단숨에
다시 살 수 있어 미소짓네
한세상 어느 때인들
미소 속에서 아름다웠네.

식물인간의 꿈
—정상현*의 혼을 위하여

모든 다가오는 시간은 낯선 시간이지만
상현아, 너의 밤은 낮과 같고
너의 아침은 초저녁과 같겠지
백설공주인 양 깊이 잠들어
네가 꾸는 꿈의 빛깔은
흑백일까 총천연색일까

고무 튜브로 받아들이는 음식물이나
식구들이 받아내는 똥오줌이나
화학 성분이야 뭐 크게 다를 바 없겠지
초점 잃은 시선으로 바라보면
세상은 위도 아래도 없고
좌도 우도 없을 터이니
네 눈앞의 세상은
지상 천국일까 생지옥일까

저 하늘 밖으로는
또 다른 하늘이 어두워지고
태양계는, 은하계는, 이 우주는
지금도 팽창하고 있다는데

상현아, 임마,
한번 웃어봐라 일어나 읽어봐라
신문은 쌀 개방이니 차기 대권이니
1361억 원 추징이니 난리란다**

시인이 되겠다는 꿈 영글기도 전에
너는 그렇게 깊이깊이 잠들고
세상은 너를 안락하게 죽게
내버려두지도 않는구나
모든 죽어가는 생명 감싸안으리라
더욱 힘껏 감싸안으리라고
하루에도 몇 번씩 다짐하건만
나는 또 칼을 쥐고 부들부들 떨고 있는데.

* 살아가고 있다. 다만 아직도 시력이 돌아오지 않아서 주변 사람들
을 안타깝게 하고 있다. 교통사고로 한동안 의식이 없던 후배 정상
현 군은 오랜 투병 생활을 한 후 지금은 거의 다 나아 정상인과 다
를 바 없이 살아가고 있다. 이 시는 그가 한창 투병할 때 쓴 것임.
** 1991년 11월 1일, 국세청은 정주영 현대그룹 명예회장 일가에 대
한 주식 이동을 조사한 결과, 1361억 원의 세금을 부과하기로 결
정했다고 발표하였다.

생존자들을 위하여

관에 든 그대 땅에 묻혔으니
그대 고통은 비로소 끝난 것이지요
칠성판 요는 따뜻합니까
흙 이불은 포근합니까
그대 고통 마침내 끝났지만
아직도 살아 아프신 사람들이 있다지요

6·25 때 맞은 파편으로
아직도 앓고 계신 사람들이 있다지요
4·19 때 입은 총상으로
아직도 괴로워하는 사람들이 있다지요
5·18 때 당한 구타로, 총상으로
아직도 허리 못쓰시는 사람들이 있다지요

6월에 동족이 동족에게 총을 쏘고
4월에 동족이 동족에게 총을 쏘고
5월에 동족이 동족에게 총을 쏘아
이 좋은 계절에 침대 위에서 휠체어에서
진통제를 먹고 모르핀 주사를 맞아야 할

피해자도 가해자도 한민족입니다

6월이 오면 더 아픈 사람들의 얼굴에
4월이 오면 더 아픈 사람들의 얼굴에
5월이 오면 더 아픈 사람들의 얼굴에
남북이 통일되지 않아도 햇살은 쏟아지고
4·19정신이 계승되지 않아도 잎은 돋아나고
부상자의 명예가 회복되지 않아도 꽃은 피어났으나

아직도 살아 아프신 수많은 사람들의 봄.

빛과 소리

헝가리, 1921년
세 사람이 있습니다*
눈먼 떠돌이 바이올리니스트와
맨발의 소년은 부자父子이겠지요
길을 가면서
바이올린을 왜 켜는지 모르겠지만
어린애 하나 나와 구경하고 있습니다

세 생명을 생명이게 한
72년 전의 불가사의한 햇살이
먼 태양으로부터 오는 데
몇 년의 시간이 걸렸을까요
세 생명을 빛이게 한
72년 전의 불가해한 음률이
저 악기로부터 연주되는 데
몇 년의 시간이 필요했을까요

빛이 하늘에서 소리치고
소리가 땅에서 빛날 때

생명은 자라고
늙고 병들고
지금 저 세 사람 가운데
누가 살아 있을지
1921년, 헝가리.

* 앙드레 케르테스가 촬영한 사진 「떠돌이 바이올리니스트」를 모티
브로 한 시. 사진 속에서는 한 아이가 길을 가는 눈먼 바이올리니스
트와 그의 아들인 듯한 소년을 쳐다보고 있다.

갇힌 자들을 위한 기도

……지금도 있는지 모르지만, 김천고등학교 뒷산 깊숙한 곳에 풀장이 하나 있었다. 어느 겨울 그 뒷산에 놀러 갔다 마른 풀장 구석에 엎드려 죽어 있는 개 한 마리를 본 적이 있다. 그 개는 풀장에 떨어져 밤이고 낮이고 짖어댔을 것이다. 짖을 기운이 죄다 빠질 때까지. 커다란 그 개는 뼈와 거죽만 남아 있을 정도로 말라 있었다. 개는 '절망' 그 자체였다……

저 엄청나게 많은 별을
볼 수 없는 곳에서
잠들어 계신 그대들
이불은 덮고 계십니까
악취는 참을 만합니까

아무 죄 없이
벽 속에 갇혀
빠져나오지 못하는 자들이
저 하늘 아래 어디에선가
또 하루를 살고 있으리

또 하루를 죽이고 있으리

내가 밥을 먹는 동안 컹, 컹
개는 구원을 바라며 짖었으리
내가 잠을 자는 동안 컹, 컹, 컹
개는 구원을 바라며 울었으리
내가 동무와 껄껄 웃는 동안 컹, 컹, 컹, 컹
개는 구원을 바라며 목잠겼으리

또 하루를 견디고 있으리
벽 속에서 그 언젠가
벽 밖으로 나갈 날을 꿈꾸며
또 하루를 기도하고 있으리
갇히지 않은 자들을 위한
그대들의 기도가
하늘을 감동시켜 별이 빛나건만.

손을 위한 기도

주여
내전이 한창인 예멘에서 르완다에서
이웃을 죽인 손으로 밥을 먹는
그 군인들의 손을 긍휼히 여기소서

주여
대한민국의 산부인과 병원에서
낙태 수술한 손으로 밥을 먹는
그 의사들의 손을 긍휼히 여기소서

주여
이 세계의 후미진 곳에서
여성을 강간한 손으로 밥을 먹는
그 파렴치한들의 손을 긍휼히 여기소서

그 많은, 죄 많은 손
골고다 언덕을 오르는 그대에게
물 한 모금 드릴 수도 있었으나
"아버지, 저 손들을 용서하여주십시오!

그들은 자기 손이 하는 일을 모르고 있습니다"*

주여
이 세계의 참으로 추운 곳에서
생명을 되살려낸 손으로 밥을 먹는
아기를 받아낸 손으로 밥을 먹는
우는 자의 눈물을 닦아준 손으로 밥을 먹는
그 많은, 죄 씻은 손
그 손을 긍휼히 여기소서.

* 누가복음 23장 34절에 나오는 예수의 외침을 변용한 것.

저녁의 기도

IBM 5550에 입력시켜야 했습니다
제 오랜 노동의 의미를
한 순간의 실수로 지워버릴 수 없는
그 힘든 노동의 가치를
컴퓨토피아—컴퓨터가 보증하는
유토피아를 꿈꾸어야 했습니다

게으르기 한량없는 저를 일곱 시에 깨워
콘플레이크를 우유에 타 먹게 하고
안양역으로 달려가게 하는 힘은 무엇입니까
신도림역에서 갈아타서 삼성역까지는
스물한 개의 역 스물한 번의 치욕
사람들이 저에게 치도곤을 안기는
(저도 남들에게 치도곤을 안기는)
러시아워를 피하려면
여섯 시에는 일어났어야 했습니다

한 인간의 성취욕과는 전혀 무관한 일에
하루 열두 시간 내지는 열세 시간을

온전히 바치게 하는 힘의 정체는 무엇입니까
월급과 보너스의 힘입니까
이자만 갚아나가는 빚의 힘입니까
아니면 각종 공과금의 힘?
이런 나날은 과연 보람입니까 고역입니까

귀가하여 동화책 읽어달라는 딸에게 웅진출판사
애니메이션 세계 명작을 읽어주었습니다
제목은 하필 톨스토이 원작의
『사람은 무엇으로 사는가』
사람은 보람으로 살아가야 한다는데
조물주여 위대한 물신이시여
노동으로부터도 저는 소외되어 있습니다
컴퓨터 화면에 나타나는 주님이시여.

그해 겨울의 구직 운동

방패 든 전투 경찰처럼
오팔팔의 아가씨처럼 기다렸다
원천적인 재앙, 아니
회복 가능한 재앙을
은근하게, 집요하게, 때로는 느긋하게
시계를 보며, 신문을 샅샅이 읽으며
누가 뭐래도 나는 가사 상태로 살아왔다

아침밥을 먹었건만
러시아워 때의 지하철은
왜 나를 태우지 않은 채 문이 닫혔을까
긴 겨울 열 장이 넘는 이력서를 썼으나
공부를 왜 계속하시지 않고…… (인생 공부?)
왜 좋은 글을 쓰지 않으시고…… (원고료 수입?)

라면 한 개와
시 한 편의 원고료를 저울질하는 날
되로 사 먹던 쌀이 떨어진 날
앞뒤 재고 좌우 둘러보며

눈치로 먹고 사는 날들의
내 변함 없는
　　의욕 없는
　　광택 없는 얼굴
아아 언제부터 이 얼굴에
가면을 쓰고 다니기 시작했는지

뿔 달린 짐승이 보고 싶었다
이력서 품고 혼자 찾아간 과천 대공원
우리 속 짐승처럼
머리에 뿔을 달고 콧김 뿜으며
우리 생의 닫힌 문들을 향해 달려들어
상처받고 싶었다, 원천적인 재앙,
그 뒤에 올 고요를 꿈꾸며.

정다운 어머니

'까꿍'이란 말을 내게 가르쳐주신 어머니
날 보더니 "까꿍!" 하고는 다정스레 웃는다
나는 돌아서서 한참 운다.

상황 5

금전 몇 푼을 위한 출근길
수백 일 벽을 마주해야 오도송을 읊을까
오전 9시 15분 전, 2호선 전철 속
손끝 하나 제대로 움직이기 힘든
타인의 숨결이 뒷덜미로 느껴지는
초여름 초만원 전철 속에서
코피가 터진다

황급히 고개를 쳐든다
턱을 타고 줄줄 흘러내리는 피를
닦을 수 없다
피는 넥타이와 와이셔츠를 적시지만
닦을 수 없다
피는 왈칵 밀려드는 사람의 파도 속에서
타인의 등에도 묻지만
닦아줄 수 없다
내 피가 당신의 등을 더럽혔노라고
사과할 수도 없다

밟고 밟히는 발
사과의 말 대신
소리 죽인 신음, 기어드는 비명
이 많은, 많고 많은 사람 가운데
양옆의 두 사람만이 나를
힐끔힐끔 쳐다보고 있는데, 그때
내 착잡한 마음속에 흘러드는
한 줄기 빛

이렇게도 살아가는구나 여기서도
내 이렇게 존재해 있음을 느끼는구나
그럼 열반에의 길도 찾을 수 있겠구나.

어떤 샐러리맨

이 나라 농부들 봄에 씨 뿌려

가을에 곡식 팔아 빚

몇 가마 더 지는 동안에

나 이 도시에서 큰 산 졌네

나 이 도시에서 긴 그림자 키웠네

새벽과 밤의 가로등 불빛 아래

나날이 야위어가는 그림자

힘없이 걷다가 비틀거리기도 하는

쌓이는 빚 불어나는 빚

저 혼자 굴러가고 히히 웃고

갚아도 갚아도 끝 모를

빚의 숫자 산의 무게

마지막 한 푼을 갚기까지는

나 사표 낼 수 없네

며칠, 단 며칠의 휴가도 낼 수 없네

병들 수 없는데 죽을 수가 있으리

거머리 같은 빚을 떼어내지 못하는 한

나 도마 위의 생선이네

자를 테면 잘라라

버틸 때까지 버티리라고

만원 전철을 놓치지 않고 타는

홧김에 써둔 사표를 찢어버리는

보너스 나오는 달에 간이 조금 커지는

나 넥타이 매고 산에 사는 생선이네.

어떤 코미디

결혼식에 갈 것인가
장례식에 갈 것인가
"축의금 네가 좀 챙겨주라"
선약이 되어 있는 결혼식장에 가기로 했다
영안실에 가면 밤을 거진 새워야 할 것이고
내일 출근에 지장도 조금은 있을 것이니

강남의 한 매머드급 결혼식장에서
나는 봉투를 받는다 일련번호를 붙이며
하객들한테 고마워해야 할 하등의 이유가 없는데
일일이 고개 숙여 "고맙습니다"란 인사를 하며
신부 쪽 접수처를 보니 봉투를 받자마자
돈을 꺼내어 센다 돈 따로 봉투 따로

신랑 따로 신부 따로
인산인해의 결혼식장에서
신랑이 신부를 찾고 있다
"웬 신부 화장이 이렇게 오래 걸려?"
사회가 주례 선생님을 찾고 있다

"시작 시간 다 됐는데도 안 오시면 어떻게 해?"
하객이 식 시작하자마자 피로연 장소를 찾고 있다
"제가 오늘 급히 딴 데 갈 데가 있어서요……"

축하할 것인가 위로할 것인가
"천수 누리고 가셨으니 그 어른 정말 복이네"
"별 고생 안 하시고 임종하셨다니 정말 다행이네"
영안실에 가서 축하하고
"시간 안에 오시느라 무척 힘드셨지요?"
"여기 찾으시느라 고생 많으셨지요?"
결혼식장에 가서 위로할 일?

상상임신에서 가상섹스까지

프랑스, 미국 등에서 개발 완료 단계에 접어든 가상섹스는
▲3차원 영상과 생생한 현장음을 만끽할 수 있는 기기를 머리에 쓰고
▲몸의 상태를 점검, 컴퓨터로 전달하는 특수복을 입고
▲컴퓨터의 지시에 따라 자극을 주는 장비를 손에 부착, 컴퓨터의
명령에 따르면 실제와 같은 행위에 몰입할 수 있다.
'미래의 섹스'로까지 불리는 가상섹스를 놓고 성 문란으로 인한
AIDS 등의 부작용을 없앨 수 있다는 긍정적인 평가가 나오고
일부에서는 비도덕적이라고 비난하는 등 찬반양론까지 일고 있다.
　　　　　　　　　　　　　　　—『한국일보』, 1994년 3월 15일자.

장자莊子여

그때도 상상임신이란 게 있었습니까

마침내

가상섹스cybersex의 시대가 도래했습니다

사람이

기계와 더불어 '실제처럼' 생생하게

교접할 수 있는 세상이

먼 미래가 아니라

현실이라 합니다

과학 기술의 눈부신 발전이

이제는
홀아비도 외롭지 않게
과학주의와 기술 결정론이
이제는
미망인도 서럽지 않게
오오, 장자여

기계가 있으면 꾀를 부리게 되고
꾀를 부리면 마음도 천성을 잃고
도를 저버린다고 하신
장자여
저희는 이제
인공 수정·시험관 아기의 시대를 지나서
가상섹스의 시대로
막 돌입하고 있습니다

올 때까지 온 것인지
갈 때까지 간 것인지
어디까지 갈 것인지

저도 모르겠습니다만 황천에서

그렇게 발작적으로 웃지 마시고

계속 지켜보아주십시오

가상현실virtual reality 기법이 실용화되는

이 컴퓨토피아의 세계를.

금오산에 다다른 김시습에게

이슬에 눈뜬 새벽마다 문을 여는 산
하늘과 땅 사이를
또 하나의 산 넘어 구름다리 건너
명아주 줄기 지팡이를 짚고 걸어간 열경悅卿
그대가 남긴 시를 읽는
경오년의 삼각산 밑이다
서른하나*에 금오산에 다다랐다니
나와 동갑이네그려

어지러운 세상이 너무 잘 다스려지는
이 땅의 법령은 그물보다 촘촘하나
많이 배운 이들과 많이 가진 이들
그 그물 술술 빠져나가고 있네
멸치보다 작은 우리들을 잡겠다고
그물을 움켜쥔 배우지 못한 이가
높은 곳에서 걸어나오고 있네

부귀와 명리는 잘해야 생전生前이라던 열경
그대 지금 어느 하늘 아래

웃고 있나, 혹 울고 있나
권력의 운명은 부패라고 말한 이들이
오늘은 권력 앞에 부복하고 있네
더 부패하고 있네
그대 헛 쏘다닌 걸세
혼자 잘난 척했지

선인仙人이 되는 것보다 은자隱者가 되는 게 낫다구?
둥둥 사물 바깥에서
길을 집삼아 떠돌아다니면
인생은 허물어진 한 채 역관驛館이 아닌가
세상 구경이 아무리 좋다 한들
가난 속에 사느니만 못한 것을
그대는 알지 못해
매미 같은 지난날을 벗었나보이

나는 오늘 삼각산 밑
문서의 바닷속 중구 저동 2가
빌딩이라고 하는 높다란 집 한구석에 앉아

덧셈과 곱셈을 하고
연말 보너스라는 것을 기다리며
제 몸 하나만 깨끗이 하면 대수냐고
그대를 비웃기도 하지만……
붓 하나로 百世의 스승이 되었으니
내 어찌 부끄럽지 않으랴.

* 정병욱의 연구에 의하면 김시습의 금오기金鰲期는 31세부터 37세
  에 이르는 7년간이다. 열경悅卿은 김시습의 자字.

죽음이라는 '끝,' 생명의 출발
―이승하의 새 시집

김주연
(문학평론가)

　　이승하의 이 시집은 '죽음'으로부터 시작하고 있다. 그
러나 이 시작은 기이하게도 '끝'으로 끝나고 있다. 죽음
은 모든 것의 끝이라는 인식이 그것이다. 그러나 이러한
종말 의식은 기독교의 종말론으로 이어지지도 않고, 정
반대의 허무주의로도 함몰되지 않는다. 그런 의미에서
그의 죽음은 철저히 현세적이다.

　　이슬에 젖은 코스모스 하나의 목숨과
　　영혼의 상처 아물지 않는 나의 목숨은
　　무엇이 다른가 어느 쪽이 귀한가

[……]

나는 코스모스의 시작을 모른다
나는 코스모스 꽃잎 하나를 모른다
내 목숨도 땅을 인연으로 하여 사라질 터인데.
—「물의 법」부분

사람 묻고 나면 늘 허기지고 추워
따뜻한 밥 생각이 절로 나지만
내가 죽고 내 자식이 죽고
그 자식이 또 죽으면
밥 떠놓고 누가 절을 올릴 것인가
—「겨울, 공원묘지에서」부분

내 눈으로 볼 수 있는 별의 수는
유한이다
내 머리로 셀 수 있는 별의 수는
유한이다
고로 나 유한하리라
—「슈메이커-레비 혜성이 죽던 날」부분

「물의 법」「겨울, 공원 묘지에서」「슈메이커-레비 혜
성이 죽던 날」의 세 편 시에서 인용된 구절들이다. 여기서 볼 수 있듯이 이승하의 죽음은 현세주의적 인생관의 한 극점으로 나타나 있다. 「물의 법」에서 시인은 사람과 꽃, 즉 모든 생명체의 생명의 근원에 대해 신비감과 회의를 동시에 표명한다. 그러나 그것은 그뿐, 더 이상 인식을 깊이 있게 발전시키지 않는다. 신비감은 어떤 종류의 신비주의로 전진하지도 않고, 회의는 거듭된 질문으로 연결되지도 않는다. 생명이란 기이한 것, 그러나 끝나면 그뿐, 그 다음에는 오직 무無가 있을 따름이라는 생각이 담담하게 적혀진다. 이러한 생각은 구체적 주검의 현장인 묘지 앞에서 다시 확인된다. "사람 묻고 나면 늘 허기지고 추워"진다는 진술 속에는 한 생명의 끝을 보는 허무감·종말감이 배어 있다(앞서 지적했듯, 이것은 그러나 허무주의나 종말론과는 사뭇 다르다). 중요한 것은 이때 죽음·주검을 보고 받아들이는 인간의 정서이며, 그렇기 때문에, 내가 죽고 내 자식이 죽고, 그 자식이 또 죽으면…… 이라는 식의 소회가 생겨나는 것이다. 이러한 생각은 사실 죽음에 대한 인식이라기보다, 인상 혹은 소감의 수준이라고 할 수 있다. 그런 의미에서 그의 생사관은 매우 순진하다고 할 수 있다. 그러나 「슈메이커-레비 혜성이 죽던 날」에 이르면 홀연히 그것은 단호해진다. 삶, 그러므로 자신의 존재가 유한할 수밖에 없다는 것을 시인은 큰 목소리로 공언하면서 그 이유까지 분명하게 밝히고 있다. 즉 "내 눈으로 볼 수 있는 별의 수"가 유한하기 때문에, 그리고 "내 머리로 셀 수 있는 별의 수"가 유한하기 때문이라는 것이 그 이유다. 말하자면 감각과 이성, 다시 말해서 실증될 수 있는 것만을 믿겠다는 태도이다. 사실 너무 맑고, 너무 단아하여 아름다운 아침 이슬을 연상시키는 이 시인의 시들을 움직이고 있는 정신은, 뜻밖에도 이러한 실증주의적·계몽주의적 세계관이라는 점을 발견하고 나는 흠칫 놀라지 않을 수 없다. 시집 『생명에서 물건으로』가 전하고자 하는 메시지는 과연 무엇인가.

　『생명에서 물건으로』에는 시적 상징이나 시적 이미지가 거의 나타나고 있지 않으며, 그렇기 때문에 그 분위기는, 소슬바람이 부는 듯하면서도 차라리 건조하다. 엄격히 말한다면 이 시인의 시들은 시적이지 않다. 시적 사물을 내세우고 그에 대한 묘사를 통해서 시인만의 시적 대상을 창조해내는 일에 헌신하는 대신, 이 시인은 자신의 생각을 그저 진술해나가는 방법 위에 있기 때문에, 그것이 시인의 생각일 수는 있어도 시적인 공간이라고 보기는 힘들다는 것이다. 이런 경우 많은 시들은 울퉁불퉁한 관념으로 그냥 남아 있기 일쑤다. 그러나 이승하의 시는 그런 면을 지니고 있지는 않으며, 바로 이 점 때문에 그만의 어떤 독자성을 아슬아슬하게 지키고 있는 것으로 내게는 여겨진다. 그것이 무엇일까. 나로서는 아마도 시인의 어떤 진솔성이 아닐까 생각한다. 소년과도 같은 진솔성. 시적 조작을 오히려 피해가는 진솔성.
내가 죽고 내 자식이 죽고 그 자식이 또 죽으면 "밥 떠놓
고 누가 절을 올릴 것인가"를 걱정하는 어린애 같은 진
솔성 때문에, 그의 시는 부분부분 딱할 정도의 순진함·
생경함을 내보이고 있음에도 불구하고 친화감을 확보하
고 있다.

무수히 많은 달이 뜨고 지고
꽃 또한 계절 따라 피고 졌으나
그대만큼 처량하게 아름답고
그대만큼 처절하게 슬픈 사람은 없을 거네
인간으로 태어나 사랑했던 한 사람을
돌아올 수 없는 곳으로 보낼 사람이여
　　　　　─「죽어가는 사람의 애인을 위한 노래」부분

죽어가는 내 모습이
아름다울 수 있다면
좀 좋으랴
수술실에 들어가며
더 좋다는 병원으로 옮기며
재수술을 기다리며
아아 기적을 꿈꾸며
　　　　　　─「죽음까지 이르는 병」부분

라면 박스에 죽은 아이의 시신을 넣고
묻으러 가는 길
산길을 밤에 오른다
달이 밝다 아이의 눈동자
공기가 참 맑다 아이의 숨결
라면 박스는 이렇게 가벼운데
내 발걸음은 왜 이렇게 무거울까

─「내 죄 묻으러 가는 길」 부분

「죽어가는 사람의 애인을 위한 노래」「죽음까지 이르는 병」「내 죄 묻으러 가는 길」 등 역시 3편의 시의 일부분들인데, 그 진솔성이 아무런 저항감 없이, 차라리 직접적으로 다가오는 작품들이다. 이러한 진솔성은 크게 두가지 측면에서 오는 것으로 보인다. 그 하나는 시인 자신의 기질적인 것과 관계되는 측면으로서, 이 시인의 지금까지의 시적 발자취와 관련지어볼 때, 어느 정도의 일관성과 닿아 있다고 할 수 있다. 그러나 더욱 중요한 것은, 죽음이 자연사와 같은 불가피한 상황의 결과라기보다, 넓은 의미에서 폭력의 산물이라는 시인 의식 때문에 생겨나는 진솔성이다. 그러므로 이 진솔성은 직접성과 짝을 이루는 개념이다. 시적 사물을 매개로 하지 않고 시인이 직접 나서서 상황을 설명하고 자신의 견해를 진술하는 태도인데, 이런 방법은 시적 감동을 약화시키기 일쑤이다. 더구나 죽음을 두려워하고 삶에 집착하는 모습을 그리는 시에 있어서 이러한 태도는 바람직스러울 수 없다. 그러나 이상하게도 시 전체는 강한 친밀감을 일으킨다. 이 친밀감은, 이를테면 직접성과 진술성 사이에서 비롯되는 어떤 감정으로서, 거기에는 시인이 진술하는 내용이 체험된 사실이거나, 혹은 그 사실에 대한 깊은 연민과 애정이 동반되고 있다. 무엇보다 그 정황을 애써 시적 공간으로 바꾸지 않는 데에서 오는 일종의 논픽션 스타일의 보고문이 주는 현실감과 같은 것이 깔려 있는 것이다. 말하자면 시적 자아와 경험적 자아의 일치 현상이라고 할 수 있다.

죽음을 이렇듯 생명의 끝으로 파악할 때, 죽음의 모습은 공포스럽기까지 하다. 안락사를 꿈꾸는 시는 이런 배경 아래에서 생겨난다. 결국, 죽음 그 자체가 하나님에 의해서 예정되어 있을 뿐 아니라, 그가 죽음으로써 인류가 구원받기로 되어 있는 예수의 죽음마저 안타까운 것으로 이해된다. 예수의 죽음을 바라보는 시는, 시인의 죽음에 대한 인식을 보다 명료하게 드러내준다.

하나 내 마음으로 죽이는 타인들
누군가로부터 위협받지 않아도
누군가로부터 고문당하지 않아도

내 마음대로 죽이는 무수한 타인들
내가 존재 가치를 부인한 벗들
두 손으로
내가 너희를 죽일 때마다
예수가 함께 울고

나의 존재 가치를 부정한 벗들
두 손으로
너희가 나를 죽일 때마다
예수가 함께 울어주리

「우리가 죽인 예수」의 중간 부분인데, 여기에는 세 가지의 메시지가 숨겨져 있다. 첫째는, 시인이 마음속에서 타인을 죽이고 있다는 사실이며, 둘째는 타인이 마음속에서 끊임없이 시인 자신을 죽이고 있다는 것, 셋째로는, 그것들이 결국 예수를 죽이고 있는 행위라는 점이다. 예수의 죽음은, 인간의 죄에 대한 대속의 성격을 갖는다는 것이 기독교적 해석이다. 인간에게는 지켜야 할 율법이 있으나, 그것을 지킨 사람은 아무도 없으며, 따라서 율법으로 구원을 받는다는 것은 불가능하게 되었다. 이른바 구약 시대는 이렇게 해서 끝나게 되었다. 신약 시대는 흔히 복음 시대라고 하는데, 그것은 예수의 탄생과 그 죽음에 의해 인간이 구원을 받게 되었다는 논리가 동의될 때 붙여지는 이름이다. 그러므로 예수의 죽음은 기독교 문맥 속에서 복음으로 이해된다. 그것은 물론 인류의 죄 때문에 발생한 일이지만, 이 죄는 예수의 죽음을 통하지 않고서는 해결될 길이 없다. 따라서 우리 인간이 예수를 죽였다고 했을 때, 그것은 아담 이후 끊임없이 지속되어온 인간 원죄를 반영하는 지적이 된다. 그렇다면 "우리가 죽인 예수"라는 이승하의 발언은 인간 원죄론에 대한 승복이어야 할 것이다. 마음속에서 모든 인간은, 비록 이따금일지언정, 타인을 죽인다. 그것은 엄청나 죄이지만, 어떤 수양을 통해서도 완전한 해결은 얻어지지 않는다. 왜냐하면 원죄이기 때문이다. 그렇다면 이승하가 괴로워해온, 세상의 폭력과 억압, 권력과 전쟁은 원죄의 소산일 뿐, 교육과 제도를 통해서도 개선되기 힘들 것이다. 그 제도 속에는 물론 문학을 포함한 여러 양태의 예술도 포함된다. 인간은 예수를 죽일 수밖에 없는 존재이며, 예수의 죽음은 오히려 감사되어야 할 사건이라는 이유이다.

「우리가 죽인 예수」에서의 죽음은, 그러나 이러한 기독교적 해석에 대한 깊은 관심과 지식을 요구하지 않고 있다. 여기서 예수는 정의와 선의 인물로 부각되어 있고, 인간은 그를 죽이는 불의와 악을 반복하는 존재로 반영된다. 그렇기 때문에 그의 죽음은, 인간의 악행이 표출된 극점에 위치한다. 예수는 죽었기 때문에 오히려 영생

한다는 믿음이 결여됨으로써, 예수가 나왔음에도 불구하고 현세주의적인 사생관에는 별다른 변화가 일어나지 않고 있다.

죽음을 삶의 끝으로 받아들이면서도 허무주의에 빠지지 않고 있는 특이한 인식—이승하의 시가 딛고 있는 그 독자적 세계는 바로 이러한 인식과 깊은 관계에 선다. 자칫 유치하면서도 공소한 소년시에 머물 수밖에 없었을지도 모를 그의 시를 살려내고 있는 힘도 이러한 인식의 소산이다. 그것은 바로 생명에 대한 깊은 외경, 따뜻한 사랑이다. 그것은 또한 지금까지 이 시인을 괴롭혀온 폭력에 대한 증오를 극복하고 있는 자리에서 솟아나고 있는 소중한 싹이다. 아직 그 외경, 그 사랑이 죽음까지 껴안는 달관의 경지와 닿아 있지 않다고 하더라도, 이 생명 존중의 시학은, 시인의 말대로 생명이 물건으로 대체되고, 공해로 인한 생명 오염의 환경이 만연되고 있는 현실에서 매우 뜻깊은 것이 아닐 수 없다. 그의 생명 존중은 왜 죽음이라는 것이 있어서 생명 자체를 단절시키고 있는가 하는 본질 문제에 대한 물음과 기본적으로 맺어져 있는 것이기는 하지만, 그에 앞서서, 자연스러운 생명의 전개를 저해하고 있는 세력과 요소에 대한 고발과 저항, 증오와 그 극복이라는 보다 중요한 측면과 결부된다. 그것은 정치적인 폭력으로부터도 나오고, 질병과 같은 생리적인 요소로부터도 유발되며, 공해와 같은 문명의 타락에서 비롯되기도 한다. 그 어떤 경우라 하더라도 그것들은 반생명적인데, 시인이 보기에 오늘 우리의 현실은 이 같은 반생명적 현상으로 가득차 있는 것이다. 그런 의미에서 이승하의 시세계는 현실 비판적이며 문명 비판적이다. 그 몇몇 경우를 확인하자.

> 21세기에 태어날 아이들은
> 알까 알게 될까
> 먼 옛날 이야기를 듣듯이
> 5월의 학살극을 들을
> 이 땅의 아이들은 알고 있을까
> 아르헨티나─지구 반대편
> '5월 광장 어머니회' 사무실에 걸린
> 그 많은 실종자들의 얼굴을
> 찾지 못한 이유를
>
> [……]
> 1999년 12월 31일의 자정을 맞을 아이들아
> 거대한 무덤 위에 선
> 20세기에 태어난 아이들아.
> ──「5월의 광장에 서서」 부분

아름다운 꽃이 있어 향기로운

밤의 중환자실

임종의 시간에 흐르는 침묵

그대 아름다운 날이 있어

그토록 아름다웠던가

그대 아름다운 일을 하여

그토록 아름다웠던가

그대 아름다운 여인 만나

그토록 아름다웠던가

그대 아름다운 자식 두어

그토록 아름다웠던가

──「아름다운 죽음」부분

보지 못하면서 말 못하는 보람이

말 못 하면서 못 움직이는 은정이

못 움직이면서 자폐증인 진영이

자폐증이면서 보지 못하는 성구

어두운 지상에 외돌토리로 버려져

다중의 장애로 괴로워하는 새싹들

라파엘 어린이집의 식사 시간입니다

밥 먹는 모습이 가지각색입니다

—「아직도 어두운 이 지상에서」 부분

주여

내전이 한창인 예멘에서 르완다에서

이웃을 죽인 손으로 밥을 먹는

그 군인들의 손을 긍휼히 여기소서

[……]

주여

이 세계의 후미진 곳에서

여성을 강간한 손으로 밥을 먹는

그 파렴치한들의 손을 긍휼히 여기소서

—「손을 위한 기도」 부분

기계가 있으면 꾀를 부리게 되고

꾀를 부리면 마음도 천성을 잃고

도를 저버린다고 하신

장자여

저희는 이제

인공 수정·시험관 아기의 시대를 지나서

가상 섹스의 시대로

막 돌입하고 있습니다

올 때까지 온 것인지

갈 때까지 간 것인지

어디까지 갈 것인지

저도 모르겠습니다만 황천에서

그렇게 발작적으로 웃지 마시고

계속 지켜보아주십시오

가상 현실virtual reality 기법이 실용화되는

이 컴퓨토피아의 세계를.

　　　　　　　　　　──「상상임신에서 가상섹스까지」 부분

　시 「5월 광장에 서서」는 정치적 폭력에 의해 희생되고
있는 생명에 대한 고발이다. 「5월의 광장에 서서」라는
제목을 갖고 있는 이 시는, 광주와 아르헨티나에서 일어
난 학살을 함께 다루고 있는데, 초점이 생명에 맞추어져
있을 뿐, 정치적 시각과 해석은 근본적으로 배제되어 있
다. 이것은 어떠한 동기와 시각도 중요하지 않고, 또 용
납할 수 없다는, 근원적인 생명 현상에 대한 존중이라
고 할 수 있다. 이 순수성이 이승하의 시의 매력이며 힘
이다. 「아름다운 죽음」은 질병에 의하여, 「아직도 어두
운 이 지상에서」 역시 신체 및 정신 장애에 의하여 생명
의 올바른 전개와 개화가 제대로 이루어지지 못하고 있
는 현상에 대한 눈물겨운 지적이다. 「아름다운 죽음」이

라는 제목의 시「아름다운 죽음」은 질는 조용한 죽음 앞에서 되돌아보아지는 삶의 아름다웠던 시간에 대한 찬송이다. 시인은 여기서 그 죽음이 아름답다고 쓰고 있지만, 사실은 그 삶이, 즉 생명이 아름다운 것임을 강조하고 있다.「아직도 어두운 이 지상에서」에 이르면 장애 어린이들의 안쓰러운 모습이 구체적으로 그려지고 있는데, 이것은 질병에 의한 생명 훼손에 대한 한 단정한 절규의 성격을 지닌다. 이 시인의 시가 정치 권력이나 전쟁에 의한 생명 파괴를 집요하게 추적하고 있는 것과 거의 비슷한 무게로 병에 깊은 관심을 나타내고 있음은 주목될 만하다. 특히 주목해야 할 것은, 병에 의해 생명이 단절·파괴된다는 고발적 차원을 거쳐서 마침내 병과 생명을 함께 아우르는 어떤 새로운 경지를 향한 전망을 그가 이루어내기 시작했다는 사실이다. 이 점은 이승하가 최근 거두고 있는 가장 탁월한 시적 성과라고 할 수 있다. 그것은 예컨대 이런 것이다.

병 없는 생명이 어디 있으리
병 나날이 깊어지면
서로에게 주는 상처도 깊어지더라니
병 나날이 깊어져도
분리되지 않는 당신의 영혼과 육체
그 육체 시든 채 오래 흔들리더라니

「두 여성에게 바침」의 중간 부분인데, 어머니와 아내를 대상으로 하고 있는 이 시에서, 특히 어머니를 지칭하여 "분리되지 않는 당신의 영혼과 육체"라고 부르면서 "병 없는 생명 어디 있으리"라고 읊은 것은 놀랍다. 토마스 만에게서 벌써 "병은 건강보다 더 건강한 것"이라는 진술이 나온 바 있으나, 병은, 그 말의 가장 깊은 뜻에서, 이미 삶의 일부인 것이다. 그럴 때, 생명은 다만 깨끗하고 맑기만 한 어떤 진공관이나 약수물의 자리에서, 온갖 다양하고 널럴한 요소들을 껴안고, 먹어버리며, 그리하여 한없이 넓은 모습으로 거듭 나타나는 질긴, 거대한, 복합적 유기체로 다가온다. 병과 더불어 생명은 성장한다고 할 수 있다.

시를 포함한 모든 문학은 삶에 대한 총체적 시선 위에서 그 자리를 지켜간다. 그것은, 인간이 지니고 있는 총체성을 정직하게 바라보겠다는, 인간에 대한 사랑의 방법에서 나오는 것이다. 문학 아닌, 이 세상의 많은 학문들도 진리를 얻기 위한 그 나름의 노력에 매달려오고 있지만, 문학 아닌 다른 그 어떤 것들은 특정한 시각을 그 방법으로 표방한다. 그러나 문학은 다르다. 문학의 방법 속에서 본 인간은, 머리도 중요하고 다리도 중요하다. 심장도 귀중하고 생식기도 소중하다. 정신도 지켜져야 하고 감각도 외면되어서는 안 된다. 훌륭한 인격자도 존경 받아야 하지만, 비록 그가 범죄자라 하더라도 세심하게 다루어져야 한다. 어떠한 실존적 조건과 무관한 상태에서, 오직 그가 생명을 지닌 인간이라는 이유만으로 사랑받고 존중되어야 하는 것이 문학 속에서의 인간의 삶이다. 따라서 그 생명은 복합적·총체적인 것으로 인식되어야 한다.

생명 존중은 이 시인에게 이윽고 '어머니'라는 표상의 발견을 통해 그 매듭을 얻게 되는데, 어머니를 시의 대상으로 삼은 4편 가운데에서도 다음 작품이 갖는 의미가 가장 함축적이다. 「세상의 모든 어머니에게」다.

자궁 적출 수술을 하신 날의 밤
통증으로 잠 못 이루는 당신 곁에 앉아
서른셋에 죽은 한 사내의 이적을 읽습니다

눈앞에서 자식이 죽어가는 모습을 본
세상의 모든 어머니들이여
그대 살아갈 생애의 무게는
이 우주의 무게와 맞먹을 것입니다

[……]

그날 1960년 4월 18일

한나절 꼬박 통증으로 눈물 흘리며
생명이라는 우주를 이 우주에 내보내신
당신을 다시 한번 불러봅니다
"어머니—"라고.

  어머니는 생명의 창조자다. 이승하가 아니더라도 이
사실은 부인될 수 없는 것. 물론 그 어머니도 그 어머니
가 낳았으며, 그 어머니 또한 그 어머니에 의해…… 이
렇게 생각한다면 어머니를 생명의 창조자라고 할 수는
없을 것이다. 인간은 인간의 자식이지만, 보다 원천에 이
를 때, 태고의 신비만이 감돌 뿐이다. 그러나 시인의 인
식은, 생명의 해산자로서 어머니의 모습이 봉합된다. 그
것은 생명을 유한한 것으로, 땅을 인연으로 하여, 그리고
죽으면 사라지는 것으로 인식하는 한, 당연한 귀결이리
라. 이때 생명을 창출하는 또 하나의 기둥이라고 할 수
있는 아버지의 존재는 철저히 배척된다. 「아버지」라는
제목의 시가 말해주듯, 아버지는 오히려 폭력의 표상으
로 부각된다. 이 점에 대해서는 그의 시들이 깊이 있는
개입을 보여주지 않기 때문에 확실한 분석이 가능하지
않다. 그러나 시인의 생명관이 여전히 총체성이라는 측
면과 거리를 갖고 있다는 점과 이 사실은 무관해 보이지
않는다. 생명을 주고 있으면서도 반생명적 존재로 타기
되고 있는 아버지. 이승하의 시가 보다 살아 있는, 복합

적인 생명의 모습을 구체적으로 절실하게 얻기 위해서
는 아버지와 어머니 사이의 이원적 구조에 대한 시적 탐
구가 동반되어야 할 것으로 보인다. 그의 시가 순수하고
아름다우면서도, 어딘가 여리고 위태스러워 보이는 까
닭은, 폭력의 시대에 대항하는 생명의 유기체적 메커니
즘에 대한 인식이 다소간에 단선적이기 때문이 아닐까
하는 염려가 남는다.

독학으로 대학입시를 준비하던 시절, 지구과학 참고서 한 권이 준 감동은 20년이 다 된 지금도 나의 심금을 울려 또 시를 쓰게 한다. 케플러의 법칙, 허블의 상수(常數), 고생대 캄브리아紀, 혜성의 방문, 별의 생성과 소멸, 대폭발과 우주 팽창설……. 책을 덮고 지하실 계단을 올라가 밤하늘을 보며 나는 이 거대한 우주 속에 던져져 있는 '나'라는 존재의 미미함을 깨닫고 전율하곤 했다. 우주의 역사와 넓이를 공부하면서 내 삶의 양태가 불을 보고 달려들다 타 죽는 하루살이와 진배없다는 것도 알아갔다.

그러나 생물 과목은 인간을 포함한 생명체 하나하나가 또 하나의 우주임을 알게 했다. 세포의 분열, 멘델이즘과 非멘델이즘, 유·무성 생식, 각종 동물 신경계의 구조와 기능, 식물의 명반응과 암반응……. 생명체의 역사와 종수, 그들의 끈질긴 생명력은 이 우주의 역사와 넓이, 그 엄청난 질량만큼이나 위대한 것임을.

생명체의 끈질긴 생명력마저 우리는 연일 파괴하고 있으니, 인간이란 우주는 제각기 종말의 순간을 향해 무서운 속도로 달려가고 있는 셈이다. 큰곰자리에 있는 성운이 지금도 매초 4만km(광속 7분의 1)의 속도로 달려가고 있듯이. ▨